我想要一个拥抱

献给小艾米：一个大大的拥抱。

——J. A. R.

图书在版编目（CIP）数据

我想要一个拥抱 /（英）罗著绘；杨玲玲，彭懿译
. -- 北京：中信出版社，2016.3（2023.5 重印）
（遇见美好系列. 第1辑）
书名原文：I want a hug
ISBN 978-7-5086-5694-6

Ⅰ. ①我… Ⅱ. ①罗… ②杨… ③彭… Ⅲ. ①儿童文学－图画故事－英国－现代 Ⅳ. ① I561.85

中国版本图书馆 CIP 数据核字（2015）第 277309 号

我想要一个拥抱

著　　绘：[英] 约翰·A. 罗
译　　者：杨玲玲　彭　懿
出版发行：中信出版集团股份有限公司
（北京市朝阳区东三环北路27号嘉铭中心　邮编　100020）
承 印 者：山东韵杰文化科技有限公司

开　　本：889mm × 1194mm　1/16　　印　　张：2　　字　　数：14千字
版　　次：2016年3月第1版　　印　　次：2023年5月第32次印刷
京权图字：01-2015-5640
书　　号：ISBN 978-7-5086-5694-6
定　　价：19.80元

出　　品：中信儿童书店
策划编辑：张昭　喻之晓　何嘉珞
责任编辑：喻之晓
营销编辑：王澜
封面设计：[illegible]
内文排版：博远文化

我想要一个拥抱

[英] 约翰·A. 罗 著/绘　　杨玲玲　彭懿 译

中信出版集团 | 北京

在这个世界上，小刺猬埃尔维斯什么都不想要，只想要一个拥抱。

可是，他身上的刺像毛刷一样又粗又硬，像松针一样扎人。

所以，尽管他总是特别有礼貌地请求别人给他一个拥抱，但还是没有一个人愿意答应。

他们总是说："不行，你那么多刺，会扎到我的！"

在小镇上，埃尔维斯看到了好多好多拥抱。

“请问，你能给我一个拥抱吗？”他问。

“走开！”大家都说，“你那么多刺，会扎到我的！”

5

在公园里，他看到了好多好多拥抱。

“请问，你能给我一个拥抱吗？一个小小的拥抱就行。”

他问得那么小心翼翼、那么有礼貌。

“当然不行！”每个人都这么回答，“你那么多刺，会扎到我的！”

在足球场上，他看到了好多好多拥抱。

“请问，给我一个拥抱，好吗？”他问。

可运动员们看着他，哈哈大笑起来。

“哦……求求你们了，求求你们了，求求你们了，给我一个拥抱吧！”他急得快要哭出来了。

可是，因为他身上有刺，谁都不愿意给他一个拥抱。

2
8
ROWE
5

在火车站里，他看到了好多好多拥抱。

“请问，可以给我一个小小的拥抱吗？”他问。

“哦——不行！”每个人都大喊道，“我才不会拥抱你那些扎人的刺呢！”

MICHELLE
Fremantle
Rowe

在医院里，他看到了好多好多拥抱。

“请问，给我一个拥抱，好吗？”他问。

“什么？！”所有病人都喊了起来，“你全身都是刺，太危险了！走开！”

Hansi
Hansi
Alf
Gareth
Sue
Lyon

可怜的埃尔维斯不知到底该怎么做才能得到一个拥抱……

他抓住一个人的裤腿，问道：

“哦，求求您了，给我一个小小的、轻轻的拥抱，行吗？”

“不行、不行、不行！你那么多刺，会扎到我的！”那个人说，“快把我的腿放开！”

埃尔维斯难过极了，他不知道自己到底还能不能得到一个拥抱。

正在这时，他听到了一句十分奇怪的话……

“哦，难道就没有人能给我一个吻吗？我只想要一个轻轻的吻！”

BONES
ROWE
AMY

原来是鳄鱼柯林，他在到处请求别人给他一个吻！

“哦——不！你太丑了！”大家都这样说，没有人愿意亲吻他。

THE DAILY

“我可以给你一个吻！”埃尔维斯喊道。

柯林简直不敢相信自己的耳朵！

BUS

“哦，太感谢了，我得拥抱你一下！”柯林激动地喊道。

他一下子把埃尔维斯拥入怀中，给了他一个世界上最大的拥抱！

“哦！谢谢！”埃尔维斯开心地大叫起来。他给了柯林一个大大的吻！

Baby

[英] 约翰·A·罗

生于英国，曾在英国和奥地利学习艺术。1995 年荣获布拉迪斯拉发国际插画双年展大奖。作品有《月亮狗》《皇帝的新衣》等。

扫一扫
收听本书故事